Ce

Dixième Volume

DE LA

BIBLIOTHÈQUE ALDINE

DES ARTS

A ÉTÉ ACHEVÉ D'IMPRIMER
EN NOVEMBRE 1951
SUR LES PRESSES DE BRAUN ET Cie
IMPRIMEURS
A MULHOUSE-DORNACH
(HAUT-RHIN)

LES SCULPTURES DE

Rodin

LES PHOTOGRAPHIES

SONT DE

MARC FOUCAULT

LES SCULPTURES

DE

Rodin

par

JEAN CHARBONNEAUX

FERNAND HAZAN

35 et 37, rue de Seine

PARIS

LES SCULPTURES

DE

Rodin

IL EST BEAU que Rodin ait mené seul le combat de
la sculpture, quand une douzaine de vrais ou de
grands peintres, ses contemporains, bataillaient pour
la peinture. Il est étonnant qu'il ait pu jouir de son
triomphe, quand Degas, Renoir, Monet, ayant laissé
derrière eux leurs compagnons tombés en route,
voyaient à peine se lever l'apothéose de l'impression-
nisme. Rodin avait du génie, mais il avait aussi du
tempérament et du caractère; ou plutôt la vigueur du
tempérament et l'autorité du caractère faisaient partie
de son génie. D'où cette fécondité conquérante; d'où
la force vivante qui traverse et soutient les créatures
sorties de sa main, même les plus souples et les plus
tendres, — et qui renversait toutes les résistances.

Faut-il, pour expliquer l'apparition de ce météore,
faire entrer en ligne de compte les origines normandes
du père, lorraines de la mère, un grain de folie dans
l'ascendance paternelle, des dispositions artisanales
du côté maternel ? Mais des milliers de familles

françaises offrent des composantes analogues. Ce qui compte, c'est que Rodin est né dans un milieu populaire, dans une famille pauvre d'une haute dignité; c'est qu'il a dû gagner sa vie de bonne heure et durement et qu'il a sauvé sa vocation grâce au dévouement total d'une sœur, dont la mort prématurée le bouleversa et faillit le jeter hors de sa route.

La vie de Rodin est celle d'un homme saisi par sa vocation, voué et dévoué volontairement à la sculpture. Tous les événements de son existence appartiennent à son métier : son fils ne porte pas son nom, il n'épouse la compagne qui ne l'a pas quitté depuis sa jeunesse que quand il ne peut plus travailler — elle meurt quinze jours après et lui dix mois plus tard.

Le goût du dessin le conduit à quatorze ans à l'École des Arts décoratifs, la Petite École, comme on l'appelait alors; il a le bonheur d'y trouver l'enseignement vivant de Lecop de Boisbaudran qui excite sa curiosité et lui apprend à développer sa mémoire plastique, la chance d'avoir Carpeaux comme correcteur de ses premiers essais de modelage. Refusé à dix-sept ans à l'École des Beaux-Arts — c'est sa troisième bonne fortune — il s'engage chez un entrepreneur de maçonnerie et décoration; c'est-à-dire qu'au lieu d'apprendre le grand art selon les méthodes académiques, il entre dans la sculpture par la porte artisanale; sa main va s'exercer à toutes les besognes du métier; il sera mouleur, praticien, ornemaniste, créateur de modèles pour l'orfèvrerie et l'ébénisterie.

Les besognes qu'il accomplit comme salarié, loin de le saturer, augmentent son appétit de recherche et de travail personnel. Les premiers bustes qu'il exécute entre vingt et vingt-trois ans, celui de son père, celui du père Eymard ont déjà, le second surtout, cette véhémence d'accent qui accuse le caractère du modèle.

Il faut dire que tout en apprenant manuellement son métier, Rodin s'acharnait à satisfaire un violent besoin de culture, notamment par la lecture des poètes et des historiens romantiques, et naturellement par l'étude des grands artistes du passé. Durant son adolescence et sa jeunesse, il fréquente assidûment le Louvre; dès qu'il aura un peu d'argent, en 1875, il ira en Italie se retremper, se fortifier au contact de Michel-Ange. Deux ans après, il commence ses pèlerinages passionnés aux Cathédrales de France, souvent renouvelés au long de sa carrière.

D'autre part, ses longues promenades à pied dans la campagne des environs de Paris, et dans la forêt flamande, pendant son séjour en Belgique, trahissent le besoin d'un contact physique avec la libre nature. Toute sa vie il sentira intensément cette présence de la nature, qui s'est exprimée dans son langage de sculpteur, par ses études infinies du corps humain et plus particulièrement par la diversité mouvante des attitudes féminines mille et mille fois reproduites : tant de croquis, d'aquarelles, d'esquisses, de petites et grandes sculptures n'ont pu rassasier cette ardente dévotion. Quoique féru de poésie grecque, il aurait pu se passer des suggestions de la mythologie pour traduire le mouvement de la vague, le souffle du vent, les odeurs des champs ou les murmures de la forêt par les ondulations d'un corps de femme.

Il va sans dire que les influences littéraires ne sont pas absentes de son œuvre. Mais Rodin avait tout de même raison quand il se défendait de faire de la littérature avec sa sculpture. Les thèmes littéraires qu'il a illustrés correspondent presque toujours à son tempérament, aux mouvements profonds de son génie. Même ses compositions les plus marquées par le goût de l'époque laissent transparaître une fraîcheur de sensation qui les absout. N'oublions pas enfin que les titres littéraires de beaucoup de ses œuvres leur sont venus après coup et que certaines en ont changé plusieurs fois : l'*Age d'airain* s'est appelé d'abord le *Vaincu* et plus tard l'*Homme qui s'éveille à la nature;* le *Penseur* lui-même, cette formidable brute domptée par la méditation, fut d'abord dénommé le *Poète.*

On en revient toujours à cette constatation que la vie de Rodin se confond avec son œuvre. Sauf sa dernière aventure romanesque, qui se place d'ailleurs au déclin de sa carrière, rien n'a interrompu son effort de lutteur. Chacune de ses grandes œuvres est une bataille qu'il livre à l'opinion; qu'il la perde ou qu'il la gagne, son intransigeance reste presque toujours absolue et se raidit avec le temps; les quelques concessions, minimes, qu'on lui a arrachées, il se les est reprochées comme une faiblesse, comme une trahison. La lutte a commencé avec sa première grande figure, l'*Age d'airain,* premier manifeste antiacadémique : on lui a reproché d'avoir moulé sa statue sur nature.

La bataille pour l'*Age d'airain* fut décisive et elle apparaît passionnante à plus d'un titre. Et d'abord il est certain que le reproche fait à Rodin reposait sur une impression réellement éprouvée par ses critiques : non seulement cette figure refuse les euphémismes académiques, mais elle a vraiment été conçue dans l'enthousiasme de la vérité du modèle, elle a scrupuleusement respecté l'échelle humaine — cela est si vrai que plantée au centre d'une vaste place, comme on peut la voir à Passy, elle se perd dans l'espace; c'est la seule des grandes œuvres de Rodin qui n'ait pas le caractère monumental. Sans être insensible au charme de l'Age d'airain, on comprend que son auteur ait refusé de l'envoyer à l'exposition de Bruxelles en 1899 en disant : « J'ai fait mieux depuis ». La leçon porta ses fruits sans aucun doute car de cette première et dure épreuve est sortie l'irrésistible puis-

sance de l'*Homme qui marche* et du *Saint Jean-Baptiste.*
Et tout de même les hommes du métier qui ont accusé
Rodin d'imposture se sont grossièrement trompés;
l'aveuglement de la rivalité n'excuse pas cette erreur,
car malgré la vérité profonde de ses formes, la juvé-
nile figure porte la griffe du maître dans l'accentua-
tion des saillies qui accrochent la lumière. Que le
grand public n'ait pas compris le Rodin de Victor
Hugo ou de Balzac, rien de plus naturel : il se trouvera
toujours un conseiller municipal préposé aux Beaux-
Arts pour déclarer, comme le dénommé Lampué, que
Rodin (ou Matisse ou Rouault) dessine moins bien que
« le plus médiocre élève des petits cours de dessin ».
Que les experts confondent le style et l'orthographe,
rien encore de plus normal; mais qu'ils ignorent l'orthographe, on l'admet moins facilement et leur mé-
prise concernant l'Age d'airain montre assez combien
fut salutaire la réaction de Rodin contre une routine
d'École, capable d'abolir la juste vision des réalités.

En 1877, quand il présente à Paris sa première
statue, Rodin a trente-sept ans. Le long apprentissage
est terminé après sept années de décoration architec-
turale en Belgique. En possession d'une technique
infaillible, l'artiste peut donner le jour aux formes
que son imagination nourrissait obscurément depuis
quinze ou vingt ans. On s'explique ainsi l'extraor-
dinaire fécondité de la période qui commence avec
l'*Age d'airain* et s'achève avec le *Victor Hugo* et de
laquelle datent la plupart des œuvres monumentales.
Les dix années qui suivent voient paraître de nombreuses compositions mineures, tragiques comme le
Christ et la Madeleine, ou charmantes comme l'*Éternel
Printemps,* et deux grandes œuvres, le *Président
Sarmiento* et surtout le *Balzac* pour lequel il livra sa
dernière grande bataille, perdue de son vivant, gagnée
vingt-deux ans après sa mort, grâce à quoi cette

hautaine allégorie du rêve apparaît comme le testament spirituel du grand sculpteur. Dans les quinze dernières années de sa vie, un peu trop occupées par l'administration de sa gloire, Rodin donnera encore d'innombrables dessins et l'étonnante suite de bustes qui se clôt sur le masque ravagé de Benoit XV, dont le regard, du fond de l'orbite creuse, se porte au-delà du monde déchiré par la guerre.

En 1916, grâce au dévouement de Madame Judith Cladel, il avait eu la suprême consécration du vote des Assemblées, acceptant la donation magnifique qu'il faisait de son œuvre à l'État et décidant la création du Musée Rodin.

Pour accéder à l'œuvre de Rodin, il faut passer par la *Porte de l'Enfer,* ou plutôt il faut contempler d'abord cette œuvre singulière, non pas dans le détail — c'est impossible — mais en subissant l'incantation de ce grouillement de symboles vivants, de corps et de membres enlacés, suspendus au creux d'une impossible architecture. La Porte est une œuvre inachevée, abandonnée par son créateur; elle n'est pas, elle ne pouvait pas être une construction solide, équilibrée : il n'y a pas d'architecture au temps de Rodin; des peintres et des sculpteurs peuvent vivre dans une société qui ignore l'art, mais non pas des architectes. La Porte est un organisme vivant; elle a été tout Rodin, ou peu s'en faut, pendant vingt ans. On a dit, pour l'excuser et comme pour en justifier honteusement l'existence, que l'artiste en avait arraché des morceaux admirables — le *Penseur,* les *Trois Ombres,* l'*Enfant Prodigue,* la *Femme accroupie,* l'*Ugolin,* le *Baiser,* etc. — Je crains que le mot ne soit pas juste, qu'il risque d'égarer hors du chemin qui conduit sans doute au cœur de l'œuvre de Rodin. Aucune de ses grandes sculptures n'a été terminée en temps voulu (« Ce n'est pas ma parole qui a de la valeur, dit-il à un client mécontent, c'est ma sculpture »). Sans doute, il n'était jamais satisfait, il recommençait sans se lasser ; mais plus encore, il portait en lui, surtout dans sa période la plus féconde, après la longue continence des années de travail mercenaire, tout un peuple de formes qui aspiraient à la lumière. Chacune de ses figures, chacune de ses compositions est née et a grandi dans une genèse perpétuelle, dans un monde en fusion. Rien n'est plus révélateur à cet égard, après la contemplation de la Porte, que la vision des plâtres d'étude, ceux de la chapelle de l'hôtel Biron, ou ceux de la grande salle et des réserves de Meudon.

C'est surtout à Meudon, où madame Cécile Goldscheider accomplit, sous la direction de M. Marcel Aubert, un si précieux travail, c'est dans ce prodigieux amoncellement de projets, d'esquisses, de corps tordus, dressés, torturés ou triomphants, que l'on peut évoquer l'infatigable modeleur, le magicien pétrissant ces formes indécises qui émergent de la matière, et bientôt précisées, vivantes, harmonieuses, gonflées de sève.

Chacune des œuvres de Rodin, même si nous l'isolons de ses compagnes de croissance, nous apparaît foisonnante et multiple au cours de son élaboration. Voici sur un haut socle la première esquisse des *Bourgeois de Calais :* le groupe compact des otages, lié d'une seule corde, est emporté par la même ardeur un peu déclamatoire. Puis la composition se dissocie, chaque personnage vit son drame personnel, exagérant comme un acteur devant le miroir la mimique de son élan ou de son refus. Enfin s'ordonne le groupe monumental ; trois couples répètent l'antithèse de l'acceptation et de la résistance ; toutes les lignes vibrent sans échappée vers l'extérieur ; la rhétorique a disparu, seul subsiste le pathétique surhumain du drame sacré, pareil à celui des Calvaires ou des Jugements derniers, unifié, rythmé par les longues verticales des draperies.

Il est visible que pour le *Monument à Victor Hugo,* Rodin a été beaucoup plus gêné par la littérature. Il a imaginé plusieurs variantes du bouquet d'allégories symbolisant l'inspiration lyrique ou tragique — tantôt deux, tantôt trois figures féminines, muses, voix intérieure, penchées sur le poète assis. Finalement, le vieux barde nu resta seul et cette solitude puissamment expressive sera aussi celle du *Balzac.* Il existe pour celui-ci une série d'études plus suggestives encore. L'artiste modela, outre de nombreuses esquisses, au moins sept nus différents qu'il drapait du fameux peignoir imbibé de plâtre : chacun d'eux fait vivre diversement le romancier confondu avec son œuvre et mimant lui-même sa Comédie humaine; tantôt athlète puissant, animé, souriant; ou rêveur romantique et chevelu, écoutant des voix mystérieuses; ou batailleur, soudain redressé et prêt à quelque riposte. Ces divers aspects et d'autres encore se sont fondus dans la synthèse incroyablement simplifiée de l'œuvre définitive, à la fois dansante et pesante, souriante et tragique, la plus complexe, la plus saisissante qu'ait produite le grand sculpteur.

Ce qui retient surtout l'attention et réjouit l'œil dans les grandes salles de la rue de Varenne ou de Meudon, ce sont les nus préparatoires aux grandes œuvres, particulièrement ceux qui ont été longuement étudiés avant d'être drapés. Rodin n'a pas cessé de proclamer la nécessité pour l'artiste de se soumettre à la nature; et l'on pense au mot de Cézanne, son contemporain : « On n'est jamais ni trop scrupuleux, ni trop sincère, ni trop soumis à la nature ». Cette discipline interdit à Rodin, malgré toute son imagination, d'achever le buste de Baudelaire parce qu'il n'a pas trouvé un modèle qui lui ressemble; et de même, il n'a pu travailler à son Balzac que quand il eut trouvé un sosie du romancier. Et d'autre part, le grand manieur de formes ne pouvait s'exprimer que par les attitudes vivantes du corps humain nu. On peut douter par exemple qu'il ait pris un grand plaisir à vêtir son *Claude Lorrain* d'un pourpoint de théâtre, à le chausser de bottes de mousquetaire; mais quelle merveilleuse étude de nu pour cette statue de peintre : c'est la *Grande Ombre* redressée, tout le corps parcouru d'une onde d'énergie, les jambes nerveuses, les mains ouvrières, le regard cherchant la lumière, la bouche aspirant le paysage !

Malgré son scrupuleux respect de la nature, il est surprenant de voir avec quelle audace Rodin a manipulé la forme humaine dès qu'il commença son œuvre personnelle. L'*Homme qui marche* a été conçu la même année que l'*Age d'airain;* avec cette figure délibérément mutilée, l'artiste affirmait violemment son indépendance et du même coup son pouvoir de conférer la vie à toute forme sortie de ses mains. L'année suivante, l'idée trouve son achèvement dans le *Saint-Jean-Baptiste* qui s'offre tout entier, cette fois, à la lumière; mais ce corps d'athlète ascétique, mu par une force irrésistible, doit pour une bonne part l'intensité presque douloureuse de son éloquence à l'anormale contraction de l'épaule gauche, admirablement mise en accord avec toute la structure musculaire. En sens contraire, la *Grande Ombre* affirme sa stabilité malgré le frémissement de l'enveloppe, par le prodigieux développement de l'épaule droite dont l'horizontale prolonge la ligne du cou et de la nuque inclinés.

Et si l'on examine les corps féminins, la suavité de tant de marbres caressés avec une dévote tendresse,

XV

ne saurait faire oublier de non moins évidentes déformations. Je ne parle pas seulement des cas extrêmes, qui prêtent à toutes les outrances, comme la *Martyre* ou la *Belle Heaulmière*. Mais on voit aisément que dans un groupe exquis comme *Frère et Sœur,* le corps de la fillette tient son incroyable fraîcheur non seulement de la gaucherie charmante de l'attitude mais de l'exagération des disproportions de l'adolescence. Autre exemple où paraît triompher la virtuosité pure : la *Femme accroupie.* De face, la composition plastique se présente comme un haut-relief d'une belle plénitude, et elle développe dans les vues obliques une combinaison de volumes géométriques qui réjouit l'œil sous tous les angles; mais, malgré l'attitude impossible ou quasi simiesque, il se dégage de l'aisance naturelle du geste et de la grâce du visage penché, une impression de féminité profonde et pure analogue à celle que l'on éprouve devant les tahitiennes de Gauguin.

Une tradition, peut-être authentique, veut que la jeune femme qui servit de modèle pour l'*Ève* soit devenue enceinte dans le temps même où elle posait pour cette statue. Rodin aurait saisi cette chance inespérée et modifié son étude de façon à laisser deviner dans les formes légèrement alourdies l'annonce de la maternité. Certes on aimerait connaître la genèse d'une telle œuvre dans l'imagination de l'artiste. En fait, le hasard ou la chance a peu de part à l'élaboration d'un chef-d'œuvre. Newton aurait sans doute découvert l'attraction universelle sans la chute d'une pomme; et l'*Ève* est sortie du cerveau de Rodin, non pas des formes d'une italienne séduite par un russe. S'il est exact que le sculpteur ait renoncé à terminer la statue après le départ prématuré du modèle, c'est qu'elle avait atteint un point de maturité qui le dispensait de pousser plus avant; en tout cas, il a mis à profit l'inachèvement technique pour augmenter la valeur expressive de la statue, le modelé s'est enrichi des accidents de surface et la richesse des reflets sur le bronze communique le sentiment d'un afflux de forces parcourant le corps arc-bouté et fléchissant, possédé par le mystère et l'angoisse de la maternité.

Ainsi dans les meilleures œuvres de Rodin, l'arbitraire vient toujours renforcer, rehausser l'humain. Il va sans dire que les exemples du passé ont collaboré à cette transmutation de la nature. L'art imite l'art bien plus que la nature et il est évident que Rodin, comme les autres artistes, plus même que la plupart, dans la mesure où il était plus fécond, ne s'est pas fait faute de porter ses regards vers les modèles qu'il vénérait. On sait avec quelle passion il collectionnait les antiques, cherchant, selon son penchant naturel, dans les marbres ou dans les peintures de vases grecs, la souplesse des modelés et la variété des attitudes. De même, son admiration pour Michel-Ange et pour les sculpteurs gothiques était celle d'un disciple puis d'un émule qui n'a pas cessé de s'instruire toute sa vie. C'est un jeu passionnant pour l'historien de l'art que de rechercher les sources et de calculer le dosage des influences. Et ce jeu n'est pas vain, car rien de ce qui touche au mécanisme de la pensée humaine et à l'enfantement des chefs-d'œuvre n'est dénué d'intérêt. L'artiste original se reconnaît d'ailleurs à l'appétit robuste qui lui permet de tirer sa vigueur de ce qu'il absorbe. Prenons l'exemple de la *Grande Ombre* : chacun sait qu'elle se profile derrière les esclaves de Michel-Ange; mais les proportions, le détail du modelé, le sentiment qui anime l'ensemble sont profondément autres; la *Grande Ombre* n'est pas dans l'esprit de la Renaissance, elle est bien de son temps et du style de Rodin.

Si l'on veut sentir combien l'œuvre de Rodin appartient à son époque et combien en même temps, comme toute œuvre promise à l'avenir, elle est intemporelle, il faut visiter à l'Hôtel Biron la Salle des portraits de femmes, vers la fin de l'après-midi, quand le soleil filtrant à travers les arbres frissonne sur les boiseries grises. Une animation saisissante émane de ces visages; toutes les attitudes, tous les âges sont évoqués, bien que le buste ou la tête seule émerge du marbre. La curiosité de l'artiste ne descend jamais jusqu'au détail anecdotique. Il n'y a pas non plus de contraste étudié entre la pierre brute et la ligne ou la surface subtilement modelée. C'est une méditation arrêtée au point où elle se suffit à elle-même, un rêve plastique hors du lieu et du temps, mais rattaché au sujet par ses racines humaines : la vie du corps et du caractère s'insinue dans les traits du visage, dicte l'inclinaison du cou, de la tête. L'attitude suggère le mouvement, non pas celui qu'elle pourrait continuer, mais celui dont le spectateur reçoit l'élan presque irrésistible : ce mouvement difficilement contenu, c'est proprement l'émotion que donne la vraie sculpture.

Rodin appartient à la famille des grands visionnaires pour lesquels l'achèvement technique n'est pas un but, pour lesquels heureusement il n'y a pas de perfection. Ce sont les excès où ils se jettent — excès calculés d'ailleurs — qui affirment leur caractère, qui frappent dans leurs œuvres la marque de leur griffe. Leur insatisfaction fait leur grandeur. Ils cherchent dans la solitude et ils ne trouvent pas toujours ce qu'ils cherchent; mais ils rencontrent toujours en cours de route la forme révélatrice, capable de communiquer leur pensée ou leur rêve.

JEAN CHARBONNEAUX.

XVIII

TABLE

1. MASQUE DE L'HOMME AU NEZ CASSÉ.   1864.

2.3.4. L'AGE D'AIRAIN.   1876.

5. LE PÈRE EYMARD.   1863.

6. 7. L'HOMME QUI MARCHE. Plâtre,   1877.

8. à 11. SAINT JEAN-BAPTISTE. Plâtre,   1878.

12. L'OMBRE.   1880.

13. LES TROIS OMBRES.   1880.

14. ADAM.   1880.

15 à 18. ÈVE.   1881.

19. LE PENSEUR. Plâtre,   1880.

20. 21. TÊTE DE LA DOULEUR.   1882.

22. LA CARIATIDE TOMBÉE PORTANT SA PIERRE. 1881.

23. LA CARIATIDE TOMBÉE PORTANT UNE URNE. 1883.

24. 25. LA FEMME ACCROUPIE.   1882.

26. Mlle CLAUDEL.   1884.

27. TÊTE DE JACQUES DE WIESSANT, BOUR-
GEOIS DE CALAIS.   1884-1886.

28 à 31. LES BOURGEOIS DE CALAIS.   1886.

32. 33. ÉTUDE POUR UN BOURGEOIS DE CALAIS.
1884-1886.

34. ÉTUDE POUR UN BOURGEOIS DE CALAIS :
EUSTACHE DE SAINT-PIERRE.   1884-1886.

3

5

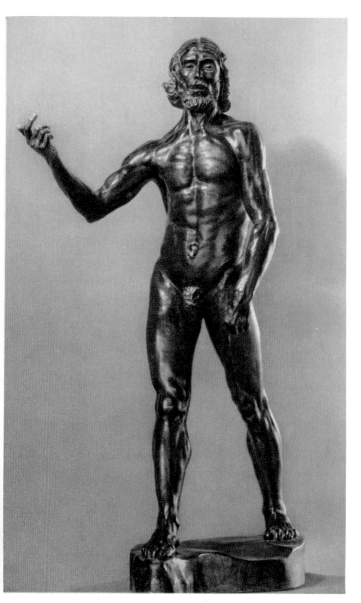

9

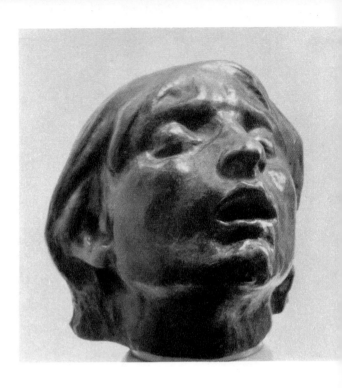

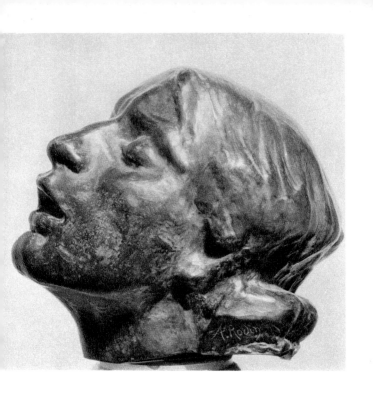

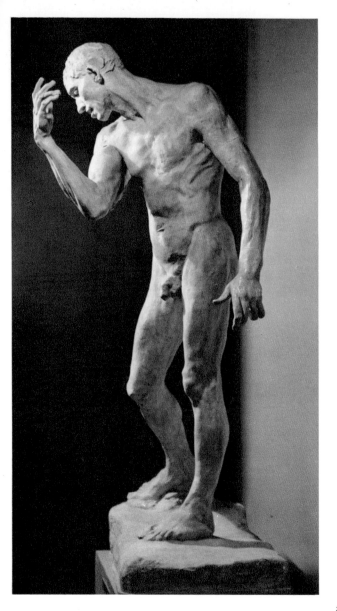

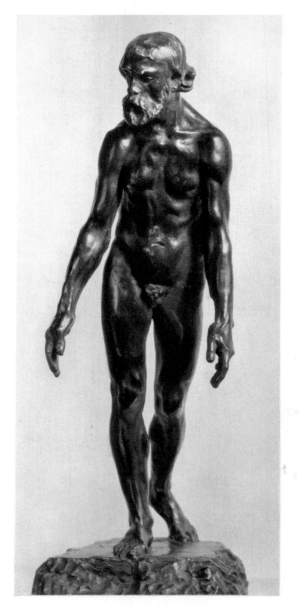

34

37

47

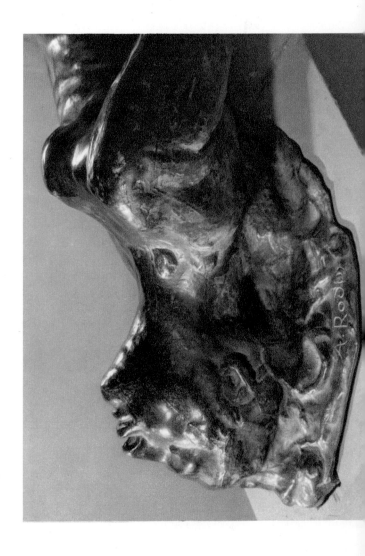

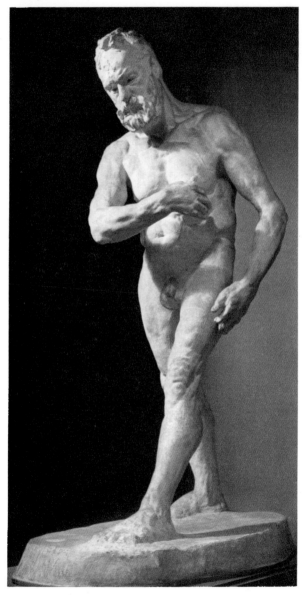

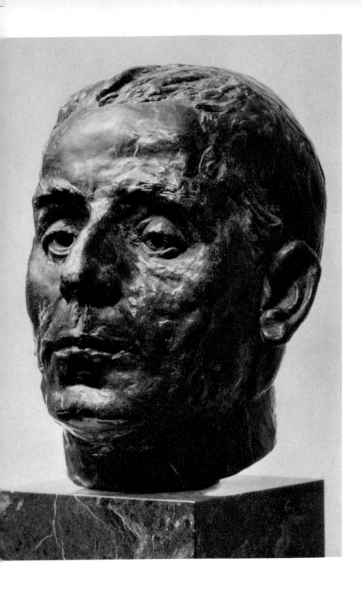